D1252321

The true mystery of the world is the visible, not the invisible.
Le vrai mystère du monde est le visible, non l'invisible.
Oscar Wilde

www.facebook.com/ruedesevresBD
www.editions-ruedesevres.fr

ISBN 978-2-36981-168-8
Conception graphique : Sébastien Pelon et Rue de Sèvres

Dépôt légal : janvier 2016 / Imprimé en France par Pollina - L73886
Loi n°49-956 du 16 juillet 1949 sur les publications destinées à la jeunesse.

FABRICE PARME

ASTRID BROMURE

Comment atomiser les fantômes

COULEURS

Véronique Dreher

RUE DE SÈVRES

CLAC!

L'INSTITUTRICE À DOMICILE A DÉMISSIONNÉ ET LES ÉCOLES PRIVÉES DU QUARTIER SONT AU COMPLET!
C'EST LA CATASTROPHE!

PAS QUESTION D'ENVOYER MA FILLE À L'ÉCOLE PUBLIQUE. POUR QU'ELLE NOUS RAPPORTE DES GROSSIÈRETÉS...

PFF...
UN PROBLÈME, TRÈS CHÈRE ?

MAMAN...
J'AI PEUT-ÊTRE LA SOLUTION...
?!

ASTRID!
IL EST IMPOLI D'ESPIONNER LA CONVERSATION DES ADULTES!
QUELLE CONVERSATION ?

PAPA EST PLONGÉ DANS SON JOURNAL ET IL T'ÉCOUTE À PEINE!
LIS PLUTÔT CETTE BROCHURE!

ÉTABLISSEMENT SCOLAIRE DE CANTERVILLE, "UN LIEU INSPIRÉ NE PEUT QU'INSPIRER".
C'EST UN PENSIONNAT À LA CAMPAGNE.

À LA CAMPAGNE !...
C'EST LOIN !... ET TU N'AS JAMAIS ÉTUDIÉ AILLEURS QU'À LA MAISON !...
MAIS MAMAN... CE DOIT ÊTRE FORMIDABLE D'ALLER EN CLASSE ET DE PARTAGER SA CHAMBRE AVEC DES FILLES DE SON ÂGE !

LE PENSIONNAT DE CANTERVILLE A UN SAVOIR-FAIRE ANCESTRAL EN MATIÈRE D'ENSEIGNEMENT POUR DEMOISELLES.

CANTERVILLE

MONSIEUR ET MADAME O'FLAHERTIE, QUI FONDÈRENT L'ÉCOLE IL Y A 120 ANS, VEILLERAIENT TOUJOURS SUR LES LIEUX ET LES ÉLÈVES.

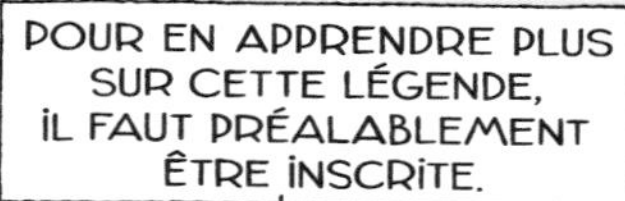
POUR EN APPRENDRE PLUS SUR CETTE LÉGENDE, IL FAUT PRÉALABLEMENT ÊTRE INSCRITE.

JE ME SUIS RENSEIGNÉE, IL RESTE UNE PLACE.

JE VOIS QUE TU AS APPRIS TA LEÇON PAR CŒUR.
ET À COMBIEN S'ÉLÈVENT LES FRAIS D'INSCRIPTION ?
LES TRUCS COMPLIQUÉS D'ADULTES SONT ÉCRITS À LA FIN...
EN TOUT PETIT.

300 000 DOLLARS !!!
OÙ ÇA ?

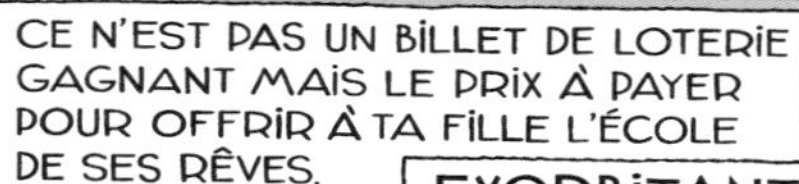
CE N'EST PAS UN BILLET DE LOTERIE GAGNANT MAIS LE PRIX À PAYER POUR OFFRIR À TA FILLE L'ÉCOLE DE SES RÊVES.

EXORBITANT !

À CE TARIF, ASTRID NE RISQUE PAS DE FAIRE DE MAUVAISES RENCONTRES.
C'EST ACCORDÉ !
ENFIN... TRÈS CHER...

OÙ EST LE PROBLÈME SI LA SOLUTION EXISTE ?

MERCI PAPA !

BISE

MADAME, LA RENTRÉE À CANTERVILLE EST DANS DEUX HEURES ET NOUS AVONS TOUT JUSTE LE TEMPS DE NOUS Y RENDRE.
OH LÀ LÀ !
PENDANT QUE J'INSCRIS ASTRID, MADAME DOTTIE, PRÉPAREZ SA VALISE !
C'EST DÉJÀ FAIT, MADAME !
BENCHLEY, PRÉPAREZ LA VOITURE !
C'EST DÉJÀ FAIT, MADAME !
ET J'AI DÉJÀ FAIT TAILLER MON UNIFORME RÉGLEMENTAIRE AVEC MON ARGENT DE POCHE.

PENSIONNAT DE CANTERVILLE
DEUX HEURES PLUS TARD...
B... BR... BRA... BRO...
AH, VOILÀ !
BROMURE.
VOUS ÊTES DANS LA CLASSE DE MADEMOISELLE POPPYSCOOP.

AU CAS OÙ... JE VOUS AI PRÉPARÉ DES BISCUITS ET DES CARAMELS.
MERCI, MADAME DOTTIE !
TRAVAILLEZ BIEN, MADEMOISELLE ASTRID !
NE PERDONS PAS DE TEMPS, JE VOUS PRIE !

BONJOUR ASTRID !
BONJOUR MADEMOISELLE POPPYSCOOP !
LES RANGS FORMÉS, JE VOUS CONDUIRAI À VOS CHAMBRES POUR Y DÉPOSER VOS AFFAIRES.
HMM... MANQUE ENCORE DEUX ÉLÈVES...

?!
VRROOOMM

QUELLE ARRIVÉE TONIQUE, MADEMOISELLE CALCOTT !
BONJOUR, MADAME BUTTERSCOTCH !
C'EST LA PROF DE GYM !
AH ?!

EN CHEMIN, J'AI CROISÉ CES DEMOISELLES QUI SEMBLAIENT SE DIRIGER DANS LA MAUVAISE VOIE.
AH ! GLADYS ET REBECCA !
NOUS VOILÀ AU COMPLET !

L'ÉCOLE A ÉTÉ BÂTIE EN 1815, JE TE DIS.
MAIS NON, 1805 !

PAS DE BAVARDAGES ! SINON, JE NE VOUS DÉVOILERAI PAS LA LÉGENDE DES LIEUX !

BIEN !

MONSIEUR ET MADAME O'FLAHERTIE ONT FONDÉ LE PENSIONNAT DE CANTERVILLE EN 1805...

1805 ! QUI C'EST QU'A RAISON ?

... DANS LE BUT D'INSTRUIRE TOUS LES ENFANTS DE LEUR RÉGION.

GARÇONS ET FILLES, RICHES OU PAUVRES.

LE SUCCÈS A ÉTÉ IMMÉDIAT.

LES O'FLAHERTIE ASSURAIENT TOUS LES COURS.

UN JOUR, EN CLASSE DE CHIMIE, UN ÉLÈVE PLUTÔT FARCEUR AURAIT VOULU TAQUINER UNE CAMARADE EN SUBSTITUANT DEUX FLACONS...

L'ÉTABLISSEMENT AURAIT ÉCLATÉ EN MILLE MORCEAUX ET PERSONNE N'AURAIT ÉTÉ RETROUVÉ.

OH LÀ LÀ !

EN 1815, L'ÉCOLE AURAIT ÉTÉ RECONSTRUITE EN PLUS VASTE ET EN RÉUTILISANT LES PIERRES TOMBÉES AU SOL.

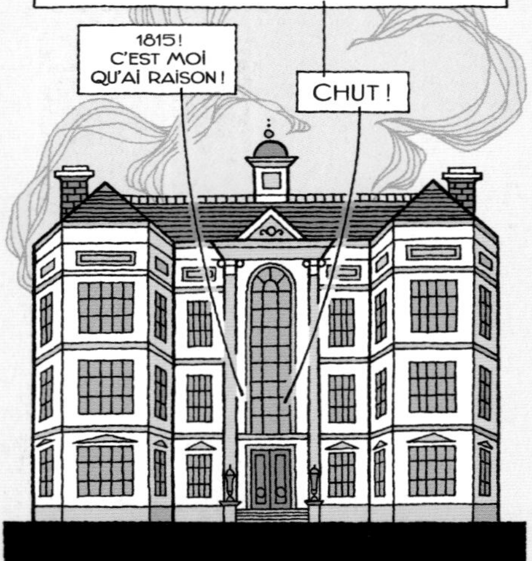

1815 ! C'EST MOI QU'AI RAISON !
CHUT !

DEPUIS, LES O'FLAHERTIE ET LEURS ÉLÈVES HANTERAIENT LES LIEUX...

LES MURS TOUJOURS IMPRÉGNÉS DE LEURS ESPRITS.

LE JOUR: ÉCOUTANT, OBSERVANT, NOTANT LES ÉLÈVES...

LA NUIT: HANTANT LES RÊVES DES MAUVAIS ÉLÉMENTS ET ENLEVANT LES IRRÉCUPÉRABLES POUR LES JETER AUX OUBLIETTES !

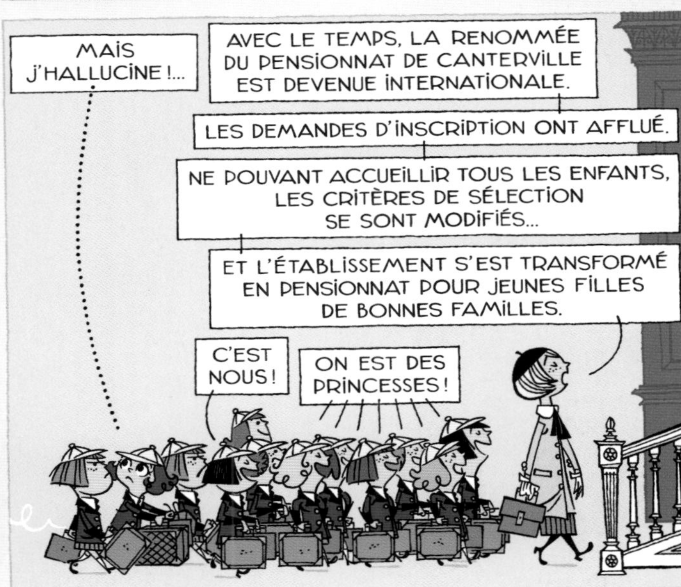
AVEC LE TEMPS, LA RENOMMÉE DU PENSIONNAT DE CANTERVILLE EST DEVENUE INTERNATIONALE.
MAIS J'HALLUCINE !...
LES DEMANDES D'INSCRIPTION ONT AFFLUÉ.
NE POUVANT ACCUEILLIR TOUS LES ENFANTS, LES CRITÈRES DE SÉLECTION SE SONT MODIFIÉS...
ET L'ÉTABLISSEMENT S'EST TRANSFORMÉ EN PENSIONNAT POUR JEUNES FILLES DE BONNES FAMILLES.
C'EST NOUS !
ON EST DES PRINCESSES !

PRINCESSES, DUCHESSES, COMTESSES OU ROTURIÈRES...
JE NE VOIS QUE DES ÉLÈVES EN UNIFORMES.

LA VISITE GUIDÉE EST TERMINÉE.
NOUS ARRIVONS À VOS CHAMBRES.
C'EST LAQUELLE, LA MIENNE ?

VOUS LOGEREZ PAR GROUPES DE TROIS.
AINSI, VOUS CRAINDREZ MOINS LES FANTÔMES !
MOI, C'EST ASTRID.
ON FAIT ÉQUIPE ?

J'AI ENTENDU VOS PRÉNOMS À L'APPEL.
MAIS QUI DE VOUS EST
REBECCA, C'EST ELLE,
ET L'AUTRE, C'EST GLADYS.

VOUS N'AVIEZ PAS L'AIR TRÈS IMPRESSIONNÉES PAR LES RÉVÉLATIONS DE LA MAÎTRESSE...
PARCE QU'ON EST DES REVENANTES !
C'EST NOTRE DEUXIÈME ANNÉE DANS CETTE FABRIQUE DE CLONES.
LES FANTÔMES DE MADEMOISELLE POPPYSCOOP, ON LES CONNAÎT PAR CŒUR.

MAIS...
VOUS N'EN AVEZ JAMAIS CROISÉ ?

SI, COMME TOUT LE MONDE, ICI !
QUAND LES ÉLÈVES SE DÉGUISENT POUR FÊTER HALLOWEEN.

HA HA !
ON VA BIEN S'AMUSER !
ET NOUS AURONS DES TAS DE SOUVENIRS À RACONTER.

VA FALLOIR FAIRE VITE POUR LES INSTANTS MAGIQUES PARCE QU'ON N'A PAS L'INTENTION DE S'ÉTERNISER ICI.
LE MOMENT VENU, ON S'ÉVADERA !

MAIS...
POURQUOI ?
CLAC

POUR RETOURNER HANTER NOS PARENTS !
NOUS SOMMES EMMURÉES ICI PAR LEUR VOLONTÉ !

AH !...
MOI, C'EST LE CONTRAIRE, JE SUIS VOLONTAIRE.

JE PRÉFÈRE ÉTUDIER ICI QUE SEULE CHEZ MOI...

... COMME JE PRÉFÈRE NE PAS DORMIR SEULE DANS CETTE CHAMBRE.

POURQUOI ?
T'AS LA TROUILLE DES FANTÔMES ?
PAS DU TOUT !

MAIS...
IL Y A DES INDICES QUI NE TROMPENT PAS.

VOUS N'AVEZ PAS REMARQUÉ, DANS LE COULOIR, LES PORTRAITS QUI NOUS SUIVAIENT DU REGARD ?

PFF...
NOUS, LES TROMPE-L'ŒIL, ÇA NOUS PARLE PAS !
ON NE SE PASSIONNE PAS POUR L'ART.

TAC
?!

ET ÇA, CE N'EST PAS UN INDICE ?
PFF...
QUE DU VENT !
AVEC UN SOUPÇON DE COÏNCIDENCE.
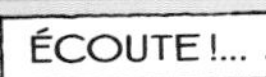
ÉCOUTE !...

MADEMOISELLE POPPYSCOOP A BRODÉ SES SORNETTES SUR UNE VIEILLE LÉGENDE LOCALE...
JUSTE POUR QUE DES POUSSINS À PEINE SORTIS DE LEUR COQUILLE COMME TOI SE TIENNENT TRANQUILLES.
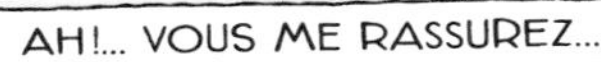
AH !... VOUS ME RASSUREZ...

MAIS...
NOUS DEVRIONS QUAND MÊME SIGNALER LA CHOSE...
VOUS NE CROYEZ PAS ?
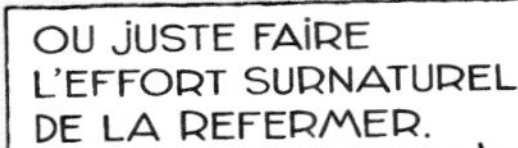
OU JUSTE FAIRE L'EFFORT SURNATUREL DE LA REFERMER.

CLOC

LES FILLES ?...
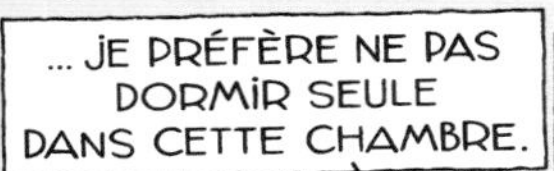
... JE PRÉFÈRE NE PAS DORMIR SEULE DANS CETTE CHAMBRE.

T'INQUIÈTE PAS ! ON N'AVAIT PAS L'INTENTION DE FUGUER CE SOIR.
AVANT, FAUT QU'ON SE FASSE CONNAÎTRE DES NOUVELLES PENSIONNAIRES...
... ET QU'ON T'ENSEIGNE LES TECHNIQUES DE SURVIE DANS LE MONDE DES VIVANTS !
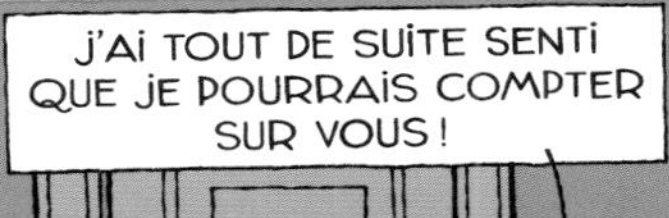
J'AI TOUT DE SUITE SENTI QUE JE POURRAIS COMPTER SUR VOUS !

ON A TOUT DE SUITE SENTI QU'ON NE S'ENNUIERAIT PAS AVEC TOI !
IL Y A DES INDICES QUI NE TROMPENT PAS.
11

POUR BIEN COMMENCER L'ANNÉE, UN PETIT RAPPEL DES RÈGLES DE CONDUITE À RESPECTER EN CLASSE.

1/ NE PAS PARLER À SES VOISINES.

CE QUI NE M'INTERDIT PAS D'ÉCOUTER GLADYS ET REBECCA CHUCHOTER.

... ET ÉVITER D'ÉCOUTER BAVARDER SES CAMARADES.

MAIS COMMENT FAIT-ELLE POUR DEVINER CE QUE JE PENSE ?

2/ LEVER LE DOIGT BIEN HAUT POUR POSER UNE QUESTION OU RÉPONDRE.

CETTE GYMNASTIQUE AMÉLIORE-T-ELLE LA QUALITÉ DE RÉFLEXION ?
MADEMOISELLE POPPYSCOOP !
OUI ?
PIPI !

3/ TOUJOURS PRENDRE SES PRÉCAUTIONS AVANT D'ENTRER EN CLASSE.
ALLEZ, FILEZ AUX TOILETTES QUAND MÊME !
TROP TARD !

4/ SE LEVER LORSQU'ON EST INTERROGÉE OU LORSQUE MADAME LA DIRECTRICE ENTRE DANS LA CLASSE.
OUI, ASTRID ?

ET LORSQUE LES DEUX SITUATIONS SE PRÉSENTENT EN MÊME TEMPS ?

ON MONTE SUR SA CHAISE !

5/ METTRE LE TON EN LISANT OU EN RÉCITANT UN TEXTE OU UN POÈME.
EXEMPLE...

NE DITES PAS:
"SOUDAIN, LA FENÊTRE S'OUVRIT EN CLAQUANT ET UN VENT GLACÉ PRIT POSSESSION DES LIEUX."

MAIS:
"SOUDAIIIN, LA FENÊTRRE S'OUVRIIIT EN CLAQUANT ET UN VEEENT GLASSSÉ PRIT POSSSESSSION DES LIEEUX!"

VOUS SAISISSEZ LA NUANCE ?

TOC TOC TOC
ENTREZ !

?!

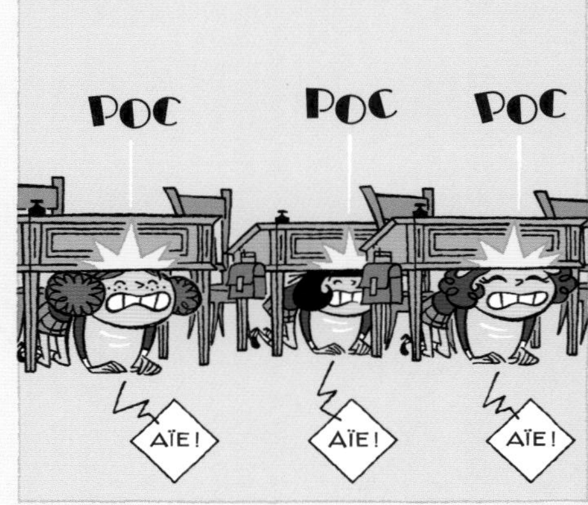
POC
POC
POC
AÏE !
AÏE !
AÏE !

QU'EST-CE DONC ?
UN EXERCICE DE SIMULATION DE TREMBLEMENT DE TERRE ?

JE... JE LEUR ENSEIGNAIS COMMENT METTRE LE TON EN RECITANT UN TEXTE DE MA COMPOSITION...
SUR LES FANTÔMES ?
OUI...
TAP TAP TAP

MADEMOISELLE POPPYSCOOP, CESSEZ D'EN RAJOUTER AVEC VOS VIEILLES LÉGENDES...
SINON, JE VAIS ENCORE AVOIR DES RÉCLAMATIONS DE LEURS PARENTS.
BIEN, MADAME BUTTERSCOTCH !

6/ LES ÉLÈVES DOIVENT S'ÉCRASER DEVANT LA MAÎTRESSE QUI DOIT S'ÉCRASER DEVANT LA DIRECTRICE QUI DOIT S'ÉCRASER DEVANT LES PARENTS.

MADEMOISELLE REBECCA !
À VOTRE AIR NARQUOIS, JE DEVINE VOS PENSÉES.
OUI, MADAME LA DIRECTRICE.

J'AI COMPRIS !
POUR QU'ELLES NE LISENT PAS SUR NOS VISAGES, IL FAUT PRENDRE UN AIR NEUTRE.

ASTRID, CESSEZ DE PRENDRE CET AIR IDIOT !

ENCORE UN A+ EN CALCUL !

UN SANS FAUTE DEPUIS LA RENTRÉE !
CONTINUEZ AINSI, ASTRID !
MERCI MADEMOISELLE !

OUAH ! LA CHAMPIONNE !
LA CHANCE !
T'ES ÉPATANTE !

UN AUTRE A+ EN RÉDACTION.
EXCELLENT TRAVAIL !

EN MÊME TEMPS, T'AS DES FACILITÉS.
POUR TOI, C'EST LA ROUTINE.
T'ES LASSANTE !

ET ENCORE UN A+ EN GÉOGRAPHIE !
BRAVO !

ARRÊTE DE LA RAMENER, FAYOTTE !
T'ES AGAÇANTE !
C'EST QUOI TA TECHNIQUE POUR TRICHER AUSSI BIEN ?

SON CERVEAU !
TÊTE DE BOIS !
PIF

T'ES INCONSCIENTE OU QUOI ?
ALIGNER QUE DES A+, C'EST SE METTRE TOUTE LA CLASSE À DOS !

ON VA DEVOIR ASSURER TA SÉCURITÉ.
MERCI LES FILLES !
QUE VOULEZ-VOUS, EN ÉCHANGE ?
RIEN POUR L'INSTANT. TU NOUS DONNES UN BON PRÉTEXTE POUR FLANQUER DES CORRECTIONS.

PRÊTES, LES FILLES ?
3
2
1
PARTEZ !
CLIC
TOP !
5 SECONDES PILE !
RECORD BATTU !
OUAH! TROP FORTES !
CLIC
ET ASTRID, TROP NULLE !
LA PREMIÉRE QUI SE MOQUE RANGERA SEULE LE MATÉRIEL APRÈS LE COURS !
ALLEZ HOP ! TOUTES À LA POUTRE !
GLADYS ET REBECCA, LIBÉREZ VOTRE CAMARADE !
EN GYM, CONTRAIREMENT AUX AUTRES DISCIPLINES, POUR ÊTRE POPULAIRE...
... IL FAUT ÊTRE LA MEILLEURE !
DÉSOLÉE DE PENSER À L'ENVERS !

5 SECONDES PILE !
OUAH!
RECORD MONDIAL DE L'ÉCOLE !
TROP DES CHAMPIONNES !
GLOIRE À GLADYS ET REBECCA !
GLOIRE À CANTERVILLE !
C'EST POUR ?
VICTORIA.
J'AI LEURS AUTOGRAPHES !
TROP DE CHANCE !
MOI AUSSI, JE LES VEUX !
MOI, J'EN VEUX DEUX DES DEUX !
LES ANCIENNES COMME LES NOUVELLES PENSIONNAIRES SONT TOUTES FANS DE NOUS !
QUANT À MOI... MA POPULARITÉ EST AU PLUS BAS...
VOUS POURRIEZ M'AIDER À REGAGNER QUELQUES POINTS ?
BIEN SÛR !...
EN ÉCHANGE, ON ACCEPTE VOLONTIERS TON AIDE POUR LES PUNITIONS À FAIRE LE SOIR...
ET ON TE LAISSE AVEC PLAISIR TRAVAILLER SEULE SUR NOS EXPOSÉS EN GROUPE.
C'EST TOUT ?
VOS CONSEILS ET VOTRE PROTECTION NE SONT PAS TRÈS CHER PAYÉS...
À CE TARIF, VOUS AURIEZ PU AVOIR LA MOITIÉ DE MES BONS POINTS EN SUPPLÉMENT...
ON PEUT RENÉGOCIER, SI TU VEUX...
J'AURAIS QUOI DE PLUS ?
BEN... EUH...
ON SAIT PAS !
MOI, JE SAIS...
UNE SÉCURITÉ RENFORCÉE !
?
?

CANTERVILLE, C'EST LE MONDE EN MINIATURE.
D'UN CÔTÉ: LA DIRECTRICE ET LES ENSEIGNANTES.
DE L'AUTRE: LES ÉLÈVES

SANS OUBLIER LES INVISIBLES...
LES FANTÔMES?
LES EMPLOYÉES À VOTRE SERVICE, MESDEMOISELLES.
QUANT AUX FANTÔMES, ON A NETTOYÉ PARTOUT ET JAMAIS RIEN TROUVÉ.
AH!...
MERCI!

DANS LE CAMP DES ÉLÈVES, IL Y A LES POPULAIRES, QUI NE DOIVENT JAMAIS TROP BRILLER DANS TOUTES LES MATIÈRES...
PARCE QUE PERSONNE N'AIME SE SENTIR BÊTE.
SAUF EN GYM!
PARCE QUE TOUT LE MONDE PRÉFÈRE ÊTRE DU CÔTÉ DU PLUS COSTAUD.
AH!...

LA POPULAIRE DOIT RESSEMBLER AUX AUTRES
MAIS EN AJOUTANT SA TOUCHE D'ORIGINALITÉ.
CE QUE MAMAN APPELLE "L'ÉLÉGANCE", C'EST ÇA?

NOUS, ON APPELLE ÇA "LA POLITIQUE".
TU SAISIS LA NUANCE?

OUAIS!
POC

POUR LA TOUCHE D'ORIGINALITÉ, T'AS EU LA MAIN UN PEU LOURDE.

SI LES FAUTIVES NE SE DÉNONCENT PAS, CE SERA LA PUNITION COLLECTIVE !
MESDEMOISELLES GLADYS ET REBECCA ?

!

ELLES NE SONT COUPABLES DE RIEN, MADAME LA DIRECTRICE !

N'ESSAYEZ PAS DE COUVRIR VOS CAMARADES !

JE SUIS L'UNIQUE RESPONSABLE, MADAME LA DIRECTRICE.
PARDONNEZ CETTE MALADRESSE...

MADEMOISELLE ASTRID, POUR VOUS ÉVITER TOUTE NOUVELLE "MALADRESSE", VOUS SEREZ DÉFINITIVEMENT PRIVÉE DE DESSERT !

ET POUR VOUS APPRENDRE À ÊTRE ADROITE, VOUS NETTOIEREZ CE RÉFECTOIRE PENDANT LA RÉCRÉATION !

BIEN, MADAME LA DIRECTRICE !

FLOP

OSER SE DÉNONCER COMME ÇA !
QUEL COURAGE, CETTE ASTRID !
JE N'AURAIS JAMAIS CRU ÇA D'ELLE.
ELLE L'A FAIT POUR COUVRIR SES COMPLICES.
AH ?
LE DESSERT DANS LA TRONCHE DE LA DIRECTRICE, C'ÉTAIT NOTRE IDÉE.
MAIS ASTRID, ELLE, ELLE L'A FAIT !
ELLE A APPORTÉ SA TOUCHE FINALE.
SANS HÉSITER À FORCER SUR LA DOSE.
SA MAMAN APPELLE ÇA "L'ÉLÉGANCE".
EH !
VENEZ VOIR LE SPECTACLE !
FLOP FLOP FLOP
♩
CLAP CLAP CLAP CLAP CLAP CLAP CLAP CLAP CLAP CLAP CLAP CLAP
BAM

QUELLE ÉLÈVE BRILLANTE !

GRÂCE À NOS CONSEILS, LA FAYOTTE EST DEVENUE VOTRE CHOUCHOUTE !
VOUS ÊTES TROP FORTES, LES FILLES !

MAIS ASTRID EST ENCORE PLUS FORTE !

VIVE ASTRID !

UNE ÉTOILE EST NÉE !
C'EST NOTRE ASTRE, C'EST ASTRID !
VIVE ASTRID !
ET VIVE NOUS AUSSI !
ON EST SES COACHS !

VIVE ASTRID !
BEN ÇA ALORS !
NOTRE PROTÉGÉE A FILÉ AU SOMMET À LA VITESSE D'UN ASTÉROÏDE !
ELLE EST BRILLANTE.
MÊME TROP !
ELLE NOUS FAIT DE L'OMBRE.

C'EST QUOI CE RAFFUT ?
JE CHERCHE DEUX VOLONTAIRES POUR RANGER LE MATÉRIEL DU GYMNASE.

À VOTRE SERVICE, MADEMOISELLE CALCOTT !

C'EST PAS TROP LOURD ?
TU VEUX QU'ON T'AIDE ?
ÇA IRA, LES FILLES, BONNE NUIT !
BONNE NUIT, CHAMPIONNE !

"ENCYCLOPÉDIE DE FANTOMOLOGIE" DU PROFESSEUR OSCAR W. SPOOK.
EXACTEMENT CE QU'IL ME FAUT POUR L'EXPOSÉ !
BONSOIR, ASTRID !
FAITES DE BEAUX RÊVES !

Première Partie
Ch. 1 : Savoir différencier les Ectoplasmes
Ch. 2 : Incantations pour faire disparaître les Spectres

T'OUBLIERAS PAS D'ÉTEINDRE !
OUI, OUI.
BONNE NUIT !
BONNE NUIT, LA STAR !

Seconde Partie
Ch. 1 : Comment atomiser les Fantômes
Ch. 2 : Techniques douces et radicales
OUAH !

SI UN TEL LIVRE EXISTE, C'EST QUE LES FANTÔMES EXISTENT !
CLIC

GLADYS ET REBECCA SERONT OBLIGÉES DE L'ADMETTRE.

CLIC

BONNE NUIT, ASTRID !

CLAC

JE PEUX M'ENFUIR AVEC VOUS ?

TU CRAINS QU'AVEC NOTRE EXPLOIT ON DEVIENNE PLUS POPULAIRES QUE TOI ?
PEU IMPORTE !
C'EST JUSTE QUE JE NE VEUX PAS DORMIR SEULE À CAUSE DES FANTÔMES DANS LES COULOIRS !
PFF...
ENCORE TES HALLUCINATIONS !

CE NE SONT PAS DES HALLUCINATIONS !
TENEZ !
UNE PREUVE DE LEUR EXISTENCE !
PFF...
LES LIVRES NE PROUVENT RIEN DES CROYANCES !

ET AVEC TON MANQUE D'AGILITÉ, TU NE FERAIS QUE NOUS RETARDER.
ET PAS LA PEINE D'ESSAYER DE NOUS ACHETER AVEC TES BONS POINTS !

J'AI DES BISCUITS ET DES CARAMELS !
ILS NOUS SERONT PLUS UTILES QUE DES BONS POINTS.

D'OÙ TU SORS CE MAGOT ?
DES RÉSERVES OFFERTES PAR MADAME DOTTIE, MA CUISINIÈRE.
ELLE A TOUJOURS PEUR QUE JE MANQUE.

PAS SI VITE, LES FILLES !
J'AI LE VERTIGE !
J'EN ÉTAIS SÛRE !
REGARDE PAS EN BAS !
J'AI TROP PEUR QUAND MÊME !

AU SECOURS !!!

QUI A CRIÉ ?!

J'AI RECONNU LA VOIX D'ASTRID !

ÇA VENAIT DE L'EXTÉRIEUR !

HUM...
VOUS CROYEZ QUE C'EST UNE HEURE POUR FAIRE DE L'EXERCICE ?

ESSAI MANQUÉ...

ET EN LOT DE CONSOLATION, ON GAGNE DES BISCUITS ET DES CARAMELS ?
HMM... J'ESPÈRE POUR TOI QUE MADAME DOTTIE EST BONNE CUISINIÈRE !

MMH… POURQUOI CETTE SOUDAINE ENVIE DE NOUS QUITTER?
VOTRE CHAMBRE EST MAL ORIENTÉE? LA LITERIE EST INCONFORTABLE? LE PAPIER PEINT EST HORRIBLE?
MOI… C'EST À CAUSE DES FANTÔMES!

MADEMOISELLE POPPYSCOOP…
JE VOUS AVAIS DEMANDÉ DE NE PLUS EN RAJOUTER AVEC VOS VIEILLES LÉGENDES!
OBSERVEZ LES CONSÉQUENCES!
AU TROISIÈME AVERTISSEMENT, VOUS SEREZ RENVOYÉE!

NOUS, ON N'EST PAS DES FILLETTES!
ON N'Y CROIT PAS À CE FOLKLORE!

ALORS, POURQUOI FUIR SI VOUS NE CRAIGNEZ RIEN?
PARCE QUE FUGUER, NOUS, AU PENSIONNAT, C'EST LE MOMENT QU'ON PRÉFÈRE!
?
C'EST CETTE TOUCHE D'ORIGINALITÉ QUI COURONNE NOTRE POPULARITÉ.

JE VOIS… COMME ÊTRE RENVOYÉES SERAIT UNE DOUBLE VICTOIRE POUR DES FUGUEUSES, NON SEULEMENT VOUS RESTEREZ À CANTERVILLE, MAIS DE PLUS, VOUS SEREZ PRIVÉES DE SORTIES!
MA TOUCHE D'ORIGINALITÉ VOUS CONVIENT-ELLE?
OUI, MADAME LA DIRECTRICE.

ET POUR EMPÊCHER TOUTE NOUVELLE TENTATIVE D'ÉVASION, DEMAIN, J'ANNONCERAI DE NOUVELLES MESURES DE SÉCURITÉ.
MAINTENANT, AU LIT!

MAIS… VOUS NE FUGUIEZ PAS POUR RETOURNER HANTER VOS PARENTS?
NOS RAISONS CHANGENT SUIVANT NOTRE INTÉRÊT.
ON APPELLE ÇA LA POLITIQUE!
CHUT!

RONZZ
ZZZ
RONZZ
ZZZ...

TOC
TOC
TOC

VOUS AVEZ ENTENDU ?
C'EST SÛREMENT LES FANTÔMES !

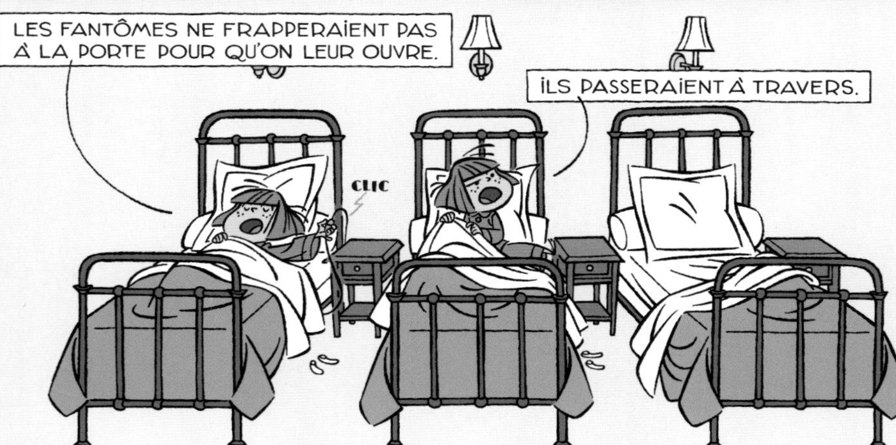
LES FANTÔMES NE FRAPPERAIENT PAS À LA PORTE POUR QU'ON LEUR OUVRE.
CLIC
ILS PASSERAIENT À TRAVERS.

ET TU NE LES ASSOMMERAIS PAS NON PLUS AVEC TON ENCYCLOPÉDIE.
REPOSE-LA !

C'EST À QUEL SUJET ?

PAR SOLIDARITÉ AVEC NOS HÉROÏNES...
ET POUR PROTESTER CONTRE LES NOUVELLES MESURES SÉCURITAIRES...
NOUS AVONS DÉCIDÉ DE HANTER LA DIRECTRICE.
OK, LES FILLES, ON ENFILE NOS DÉGUISEMENTS !

NE SOYEZ PAS AVEUGLES!
LA DIRECTRICE SERA HORS D'ELLE ET LES REPRÉSAILLES SERONT PIRES!
SCRITCH SCRITCH SCRITCH

HUM...

SI TU VEUX RESTER POPULAIRE, RECOMMENCE PAS À FAIRE TA FAYOTTE!
SOIT!...
PUISQU'IL FAUT NOUS VOILER LA FACE...
AVANCEZ, J'ARRIVE!

HOUHOUHOUHOUHOUHOUHOUHOUHOUHOU

HOUHOUHOUHOUHOUHOUHOUH
SCRITCH SCRITCH SCRITCH

J'AI PAS LES YEUX EN FACE DES TROUS!

OUHOUHOUHOUHOU
BONG
AÏE!

HOUHOUHOU
CROTTE DE CHIEN!
PAS PRATIQUE CE TRUC!

TOC TOC TOC

BOM

CHIPIES!
SI JE VOUS ATTRAPE, JE VOUS JETTE MOI-MÊME AUX OUBLIETTES!
AÏE!

AAAAAAAAAAAAAAAAAHH!!!

J'EN ÉTAIS CERTAINE DE CE PLAN POURRI !
CLAC

QUE C'EST DUR D'ÊTRE AIMÉE PAR DES ÉCERVELÉES !

PAS BESOIN D'ÊTRE EXTRALUCIDE POUR DEVINER OÙ TOUT CELA VA NOUS MENER.

GLADYS, REBECCA ET MOI FINIRONS PAR ÊTRE RENVOYÉES...
POUR L'EXEMPLE !

J'AURAI GOÛTÉ AUX JOIES DE LA VIE EN COMMUNAUTÉ POUR ME RETROUVER, EN FIN DE COMPTE...

...SEULE !

RETOUR AU MANOIR FAMILIAL.
IMMENSE MAIS TROP VIDE ET PLUS CALME QU'UN CIMETIÈRE.
LA COMÉDIE EST TERMINÉE.
CLAP CLAP CLAP
?
CLAP CLAP CLAP CLAP CLAP CLAP CLAP CLAP CLAP CLAP CLAP CLAP
AAAAAAH!!!
VITE!
LES INCANTATIONS POUR LES FAIRE DISPARAÎTRE!
CROTTE DE CHIEN!
AH NON! CETTE INCANTATION N'EXISTE PAS!
JE TROUVE PAAAS!
ASTRID, CALMEZ-VOUS ET ÉCOUTEZ PLUTÔT CE QUE NOUS AVONS À VOUS SOUFFLER!
POF
DEPUIS PLUS D'UN SIÈCLE, NOUS SOMMES HANTÉS PAR DES HORDES DE CHIPIES.
LESSIVÉS, NOUS N'ASPIRONS PLUS QU'À NOUS REPOSER EN PAIX.
NOUS VOUS OBSERVONS DEPUIS DES SEMAINES ET SOMMES CONVAINCUS QUE VOUS AVEZ LES QUALITÉS REQUISES POUR NOUS AIDER À FUGUER!
MOI?
NOUS!
ENSEMBLE, ON A LA SOLUTION!

BUTTERSCOTCH EST À NOS TROUSSES !
OUVREZ-NOUS !
C'EST COMPLET !
ICI AUSSI !
LÂCHES !!!
ON S'EN FICHE, ON N'A JAMAIS ÉTÉ TRÈS POPULAIRES.
ENCORE ELLE ?
OU BIEN ELLE CONNAÎT DES PASSAGES SECRETS...
... OU BIEN ELLE PEUT TRAVERSER LES MURS COMME UN FANTÔME...
MAIS JE PRÉFÈRE LA PREMIÈRE SOLUTION !
PAS PAR LÀ !
T'AS RAISON !
MAIS... J'AI RIEN DIT !
AUTRE SOLUTION : ELLE A UNE SŒUR JUMELLE.
PITIÉ !
UNE SEULE TEIGNE, C'EST DÉJÀ TROP !
LE SEUL ENDROIT OÙ ELLE NE NOUS TROUVERA PAS...
... EST CELUI OÙ ELLE VEUT NOUS EMMENER.
LES OUBLIETTES !
LA CACHETTE PARFAITE !
MAIS ELLES SONT OÙ ?

JE VOUS TIENS !

GLADYS ET
REBECCA !

DÉCIDÉMENT,
VOUS ÊTES
IRRÉCUPÉRABLES !

À PROPOS DE PASSAGES SECRETS,
ON SE DEMANDAIT JUSTEMENT
OÙ VOUS CACHIEZ VOS OUBLIETTES...
JE NE RISQUE PAS
DE VOUS Y CONDUIRE,
IL N'Y EN A JAMAIS EU
À CANTERVILLE.
ENCORE
UNE VIEILLE
LÉGENDE ?
VOUS M'ÉPUISEZ,
JE CAPITULE !
ALLEZ DONC
HANTER ET
FUGUER
AILLEURS !

JE DEMANDE
À ÊTRE RENVOYÉE
AUSSI.
?
JE REFUSE
DE RETOURNER
DANS UNE CHAMBRE
PLEINE
DE FANTÔMES.
DES
VRAIS !

NOUS AUSSI
ON VEUT ÊTRE
RENVOYÉES !

PAR SOLIDARITÉ AVEC LES POPULAIRES
OU À CAUSE DES FANTÔMES ?
HMM...
J'EN CONNAIS
UNE
QUI VA
M'ENTENDRE...

MADEMOISELLE
POPPYSCOOP !!!
ZZZ

RONZZ
ZZZ
RON

Z
DORMEZ
TRANQUILLE !
BOUCHONS
D'OREILLES
QUALITÉ SUPÉRIEURE

MANOIR DES BROMURE
LE LENDEMAIN ...
JE SAVAIS BIEN QUE METTRE MON ASTRID AU CONTACT D'AUTRES ENFANTS N'ABOUTIRAIT À RIEN DE BON.
ENCORE UNE CHANCE QU'ELLE N'AIT PAS RAPPORTÉ DE MALADIES !

CANTERVILLE NE ME CONVENAIT PAS, MAIS JE NE PEUX PAS RESTER DÉSCOLARISÉE...
IL RESTE UNE SOLUTION : L'ÉCOLE PUBLIQUE DU QUARTIER.
L'ÉCOLE PUBLIQUE ?!
QUELLE HORREUR !
TU ENTENDS ÇA, MON CHER ?
HMM...

COMME JE DIS TOUJOURS :
OÙ EST LE PROBLÈME SI LA SOLUTION EXISTE ?
J'ACCEPTE !

DRIiiiiiiiiiiiiiiiiiiNNG !

....
C'EST MOI...
....
OUI.
MERCI ET AU REVOIR !
CLAC !

C'ÉTAIT LA SOCIÉTÉ DE PLACEMENT DES INSTITUTRICES À DOMICILE.
MA CHÈRE : MIRACLE !
TU AS UNE NOUVELLE PRÉCEPTRICE !
ELLE SERA LÀ DANS CINQ MINUTES !

TU AS RAISON !
OÙ EST LE PROBLÈME SI LA SOLUTION EXISTE ?
JE ME TUE À TE LE RÉPÉTER !
BISE

DING DONG !

MADEMOISELLE POPPYSCOOP ?!
ASTRID ?!
?!

JE NE M'Y ATTENDAIS PAS.
SUR L'ADRESSE QUI M'A ÉTÉ INDIQUÉE, IL Y A UNE FAUTE : BROCHURE À LA PLACE DE BROMURE.

COMMENT SE FAIT-IL ?
VOUS N'ENSEIGNEZ PLUS À CANTERVILLE ?
MADAME, AUSSITÔT RENVOYÉE, J'AI PROPOSÉ MES SERVICES À LA SOCIÉTÉ DE PLACEMENT...

"RENVOYÉE" DITES-VOUS ?
MAIS POUR QUEL MOTIF ?
VOS MÉTHODES SERAIENT-ELLES TROP "MODERNES" ?
AU CONTRAIRE, J'ÉTAIS TROP ATTACHÉE AUX TRADITIONS DE CANTERVILLE...
MES RÉFÉRENCES, JE VOUS PRIE.

AH !... PRESTIGIEUSES !
JE SUIS POUR UN ENSEIGNEMENT "CLASSIQUE".
VOUS ÊTES DÉFINITIVEMENT ENGAGÉE !

OÙ EST LE PROBLÈME SI LA SOLUTION MIRACLE EXISTE ?

SI VOUS VOULEZ BIEN ME SUIVRE...

COMME LES DOMESTIQUES, VOUS LOGEREZ AU DERNIER ÉTAGE ET PRENDREZ VOS REPAS EN CUISINE. VOUS SEREZ BLANCHIE ET VOUS DISPOSEREZ DE VOS WEEK-ENDS.
CELA VOUS CONVIENT-IL ?

C'EST PARFAIT, MADAME.
EN CE CAS, JE VOUS LAISSE À VOTRE PREMIÈRE LEÇON.

HEU...
ET LES FANTÔMES DE CANTERVILLE, VOUS Y CROYEZ?

JE N'EN AI JAMAIS EU LA PREUVE...
MAIS IL ME SEMBLE QUE PLUS NOUS CROYONS AUX ÊTRES LÉGENDAIRES ET PLUS ILS SE METTENT À EXISTER.
NON?
CLIC

J'Y CROIS PAS!

POURTANT... SI!

RAVIS DE VOUS REVOIR, MADEMOISELLE POPPYSCOOP!
JE...
JE NE ME SOUVIENS PAS VOUS AVOIR DÉJÀ CROISÉS...

NOUS VOUS AVONS OBSERVÉE DURANT DES ANNÉES À CANTERVILLE ET NOUS APPRÉCIONS BEAUCOUP VOS MÉTHODES ÉDUCATIVES.
VOUS... VOUS ÊTES LES O'FLAHERTIE?
SANS CHAIR ET SANS OS!

AINSI, VOUS VOUS INSTALLEZ ICI...
LE HASARD FAIT BIEN LES CHOSES: NOUS SOMMES LES ÉTERNELS INVITÉS D'ASTRID.
ENCORE UN HASARD, OU EST-CE DE L'EXTRA-LUCIDITÉ?

DEPUIS PLUS D'UN SIÈCLE, LES CONNAISSANCES ONT ÉVOLUÉ. NOUS SOMMES UN PEU DÉPASSÉS ET NOUS AURIONS AIMÉ QUE VOUS ACCEPTIEZ DE PRENDRE LA RELÈVE...
QUELLE RELÈVE?
ENSEIGNER À NOS ÉLÈVES!
ILS ONT DE LA SUITE DANS LES IDÉES, CES FANTÔMES...

NOTRE CHAMBRE POURRAIT-ELLE ÊTRE ASSEZ ÉLOIGNÉE DE CELLE DE MADEMOISELLE POPPYSCOOP ?
À CANTERVILLE, ELLE RONFLAIT...
HI HI !
ASSEZ CHUCHOTÉ ! J'AI BESOIN D'AIDE POUR DÉPLACER LES TABLES !

À VOTRE SERVICE !
!

ALIGNÉES, LES TABLES !
LE BUREAU, ICI !
LES CHAISES, LÀ !
ATTENTION AU TABLEAU !

1805
+120
925

MOI, C'EST CLODÉRIC.
ASTRID ET CLODÉRIC, ÇA SONNE UN PEU COMME ACIDE CHLORHYDRIQUE.
HA HA !

MOI, CE QUE J'AIME, C'EST LA CHIMIE...
...ET LES BLAGUES POURRIES.

TOI, JE T'AI À L'ŒIL !

http://fabriceparme.blogspot.fr/